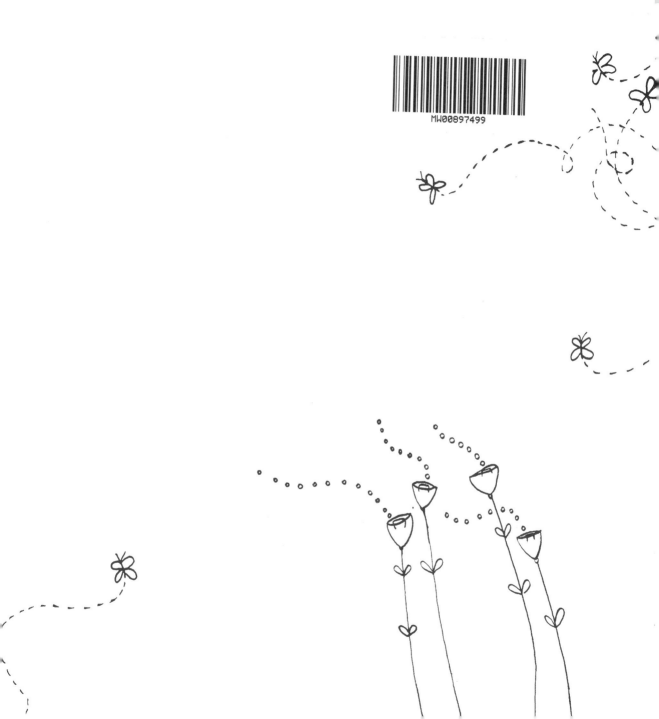

Sara Agostini
ILUSTRACIONES DE Marta Tonin

Seis historias sobre las
palabras
mágicas

GRIBAUDO

ÍNDICE

POR FAVOR

Todos los niños merecen atención,
por eso la reclaman sin excepción.
Los demás no siempre saben escuchar,
por eso un consejo os quiero dar.

Dos palabras mágicas debes usar
para preguntar de modo ejemplar:
si quieres una cosa con ardor,
acuérdate de añadir «POR FAVOR».

5

«¿Me das una golosina,
golosa vecina?»

¿Y si se lo pido mejor,
con un «POR FAVOR»?

«Abuela, ¿me compras aquel peluche?
Quiero que duerma conmigo todas las noches.»

¿Y si se lo pido mejor,
con un **«POR FAVOR»**?

9

«Mamá, ¡quiero que me hagas caso!
Quiero besos, caricias y abrazos.»
¿Y si se lo pido mejor, con un
«POR FAVOR»?

«Profe, ¡quiero aquel cuento!
Todo el rato lo tiene Lorenzo.»

¿Y si se lo pido mejor,
con un «POR FAVOR»?

«Abuelo, ¿quieres jugar?
Ven, deprisa, no me hagas esperar.»
¿Y si se lo pido mejor,
con un **«POR FAVOR»**?

«Con esta muñeca también quiero jugar,
¿me la puedes dejar?»
¿Y si se lo pido mejor,
con un «POR FAVOR»?

Dos palabras mágicas debes usar
para preguntar de modo ejemplar:
si quieres una cosa con ardor,
acuérdate de añadir «POR FAVOR».

GRACIAS

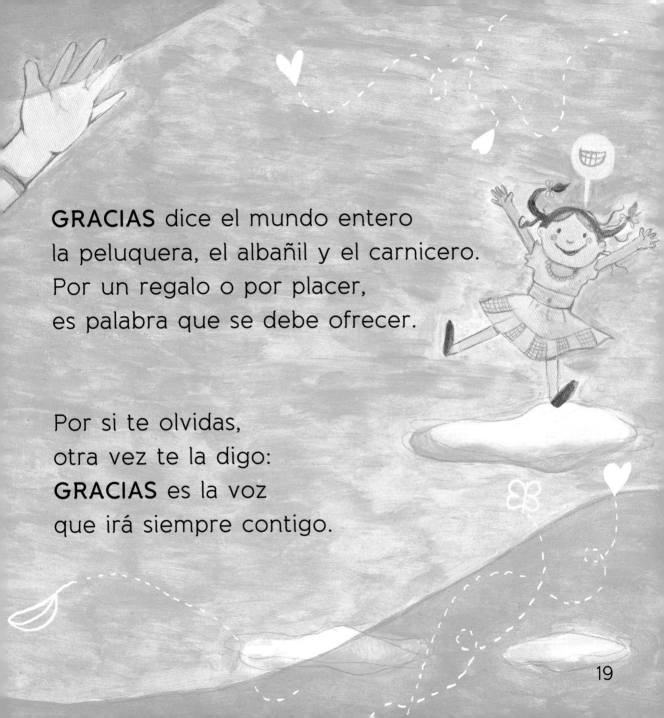

GRACIAS dice el mundo entero
la peluquera, el albañil y el carnicero.
Por un regalo o por placer,
es palabra que se debe ofrecer.

Por si te olvidas,
otra vez te la digo:
GRACIAS es la voz
que irá siempre contigo.

«Papá ha hecho una pizza deliciosa.
¡Qué rica y qué gustosa!»

Para expresarle tu agradecimiento
di **GRACIAS** con mucho sentimiento.

«Mira el Sol: con un rodeo
ilumina y calienta el mundo entero.»

Para expresarle tu agradecimiento
di **GRACIAS** con mucho sentimiento.

«Con el abuelo he hecho de jardinero,
y después hemos encendido un fuego.»

Para expresarle tu agradecimiento
di **GRACIAS** con mucho sentimiento.

25

«Hoy cumplo cuatro años
y seguro que me harán
muchos regalos.»

Para expresarles tu agradecimiento
di **GRACIAS** con mucho sentimiento.

«Julia me ha regalado unos
caramelos que eran para ella.
Qué ricos y qué dulces:
¡toco las estrellas!»

Para expresarle tu agradecimiento
di **GRACIAS** con mucho sentimiento.

GRACIAS es una palabra preciosa,
que debe decirse de manera afectuosa.
Thank you, Danke, merci:
el secreto está todo aquí.

Para expresar
tu agradecimiento
di **GRACIAS**
con mucho sentimiento.

PERDÓN

Si has hecho algo que no estaba bien,
y un escándalo has provocado también;
si no has obedecido
y una discusión ha surgido,
para hacer las paces tienes que saber
que solo una palabra debes conocer.

Para encontrar la solución,
tienes que aprender a pedir ¡PERDÓN!

33

«Marco no es demasiado bueno con el balón,
y ha roto el cristal de la ventana del balcón.»

Una regla tiene que cumplir:
«PERDÓN, papá», es lo que debe decir.

«Sabrina a veces no hace caso de la gente
porque es un poco prepotente.»

Si con las amigas quiere jugar,
debe decir **PERDÓN** antes de empezar.

«¡Bañarse es muy divertido!
Pero qué lío, ¿quién ha sido?»

Para solucionarlo tengo una propuesta:
¡creo que pedir **PERDÓN** es la respuesta!

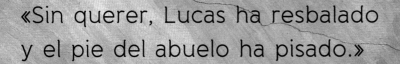

«Sin querer, Lucas ha resbalado
y el pie del abuelo ha pisado.»

Aunque no ha sido intencionadamente,
pide **PERDÓN** inmediatamente.

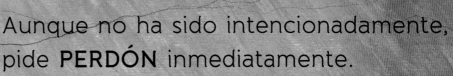

40

41

«A veces un capricho o una contradicción,
nos hace llegar a una gran discusión.»

Sin buscar quién tiene la razón,
pedir **PERDÓN** es la solución.

43

Aunque no lo quieras hacer,
quizás algún error puedes cometer.
A veces se discute o se empieza a pelear
y toda la familia comienza a gritar.

Para hacer las paces solo hay una opción:
es la palabra mágica **PERDÓN**,
que deben entonar los conocidos
o los familiares que hayan discutido.

PACIENCIA

A veces uno gana y otro pierde
y por la envidia se vuelve verde...
¡PACIENCIA! No te tienes que enfadar:
no se juega para ganar, solo por jugar.
A menudo tienes que renunciar
a algo que te gustaría solucionar.
¡PACIENCIA!, y prudencia.
Lo puedes hacer otro día sin urgencia.

«Me gustaría continuar jugando
pero a casa tengo que volver andando;

mamá la cena ya ha preparado:
¡PACIENCIA! Por hoy, ya he jugado.»

49

«He perdido mi juego preferido.
¡Qué tristeza! No sé dónde lo he metido...

¡PACIENCIA! Aprenderé a estar más atenta,
Así siempre estaré más contenta.»

51

«¡Oh, no! Se ha roto el jarrón,
se me ha caído en medio del salón.»

«¡Tienes que tener **PACIENCIA**!
Debes actuar con más prudencia.»

«Sin querer, el agua has tirado
y mi dibujo has estropeado.»

¡**PACIENCIA**! Juntos lo solucionaremos,
y más bonito que antes lo dejaremos.

A veces, jugando puedes chocar,
y, cayendo, te puedes golpear.

¡PACIENCIA!, advierte la mente,
ha ocurrido inadvertidamente.

Es mejor no enfadarse
ni por la rabia molestarse.
Solo hay una cosa que te fortalecería:
mirar la vida con más alegría.
No dejes que te atrape la tristeza:
PACIENCIA, y mucha prudencia.

59

TE QUIERO

TE QUIERO
es fácil de pronunciar,
pero de otras maneras
se puede mostrar.

Mimos y abrazos, con mucha ternura;
besos y caricias, con gran dulzura:
pero también una buena acción,
una bella palabra o una atención,
una sola, varias o todas a la vez
permiten decir **TE QUIERO** con candidez.

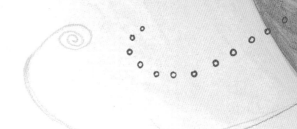

Mamá lo demuestra cuando nos caemos
y nos pone una tirita para que nos animemos.

TE QUIERO es la buena respuesta;
añade un dulce beso: ¡nada te cuesta!

63

TE QUIERO dice papá,
manejando la bici
de aquí para allá.

Con las mismas palabras le respondemos
cuando los juguetes recogemos.

65

Papá y mamá se quieren con locura:
todos los días se besan con ternura.

TE QUIERO, en cada segundo,
se dice en todo el mundo.

TE QUIERO demuestra el abuelo,
leyendo un cuento aunque tenga sueño.

Un buen abrazo, a mi parecer,
le dará mucho placer.

69

También el gato quiere su porción,
no lo puedes dejar en un rincón.

TE QUIERO, dice maullando,
si con dulzura lo vas acariciando.

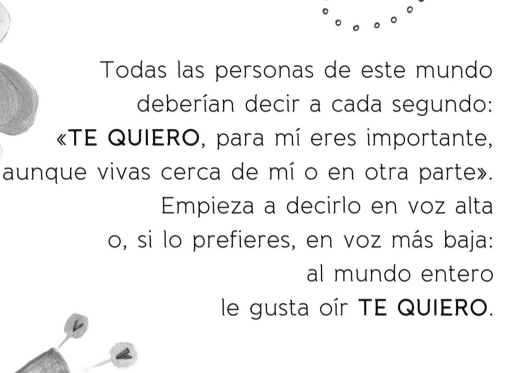

Todas las personas de este mundo
deberían decir a cada segundo:
«**TE QUIERO**, para mí eres importante,
aunque vivas cerca de mí o en otra parte».
Empieza a decirlo en voz alta
o, si lo prefieres, en voz más baja:
al mundo entero
le gusta oír **TE QUIERO**.

HOLA

¡**HOLA!** Qué palabra más hermosa,
al decirla suena ya armoniosa.
Sirve para saludar a los seres queridos
o para ser amable con los amigos.
No dejes pasar una ocasión
de mostrar tu educación,
con cuatro simples letras
que son realmente tiernas.

«¡HOLA, mamá! ¿Después del trabajo
jugarás conmigo?»
«Sí, cariño, me divierto
mucho contigo.

Te esperaré ansiosa,
y pasaremos una tarde ociosa.»

Si te encuentras a la vecina en la escalera,
sé siempre amable con ella.

No seas rancio, no te hagas de rogar,
di en seguida **HOLA** con claridad.

Mamá por la calle saluda a unos amigos
y ellos responden contentos y divertidos.

Tú no te debes esconder tímidamente,
di **HOLA** a todos alegremente.

«¡HOLA! ¿Quieres jugar conmigo?
Podemos hacer un partido.»

«Qué bien lo pasamos con el balón,
juntos hacemos un equipo campeón.»

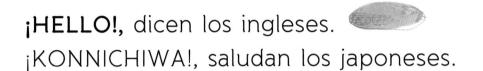

¡**HELLO!,** dicen los ingleses.

¡KONNICHIWA!, saludan los japoneses.

De muchos modos se puede decir **HOLA**,
incluso moviendo una mano sola.

85

¡HOLA! se usa
para saludar,
para la bienvenida dar
y para ser amable
con los demás.
No supone
un gran sacrificio
ni tampoco
un desquicio.

86